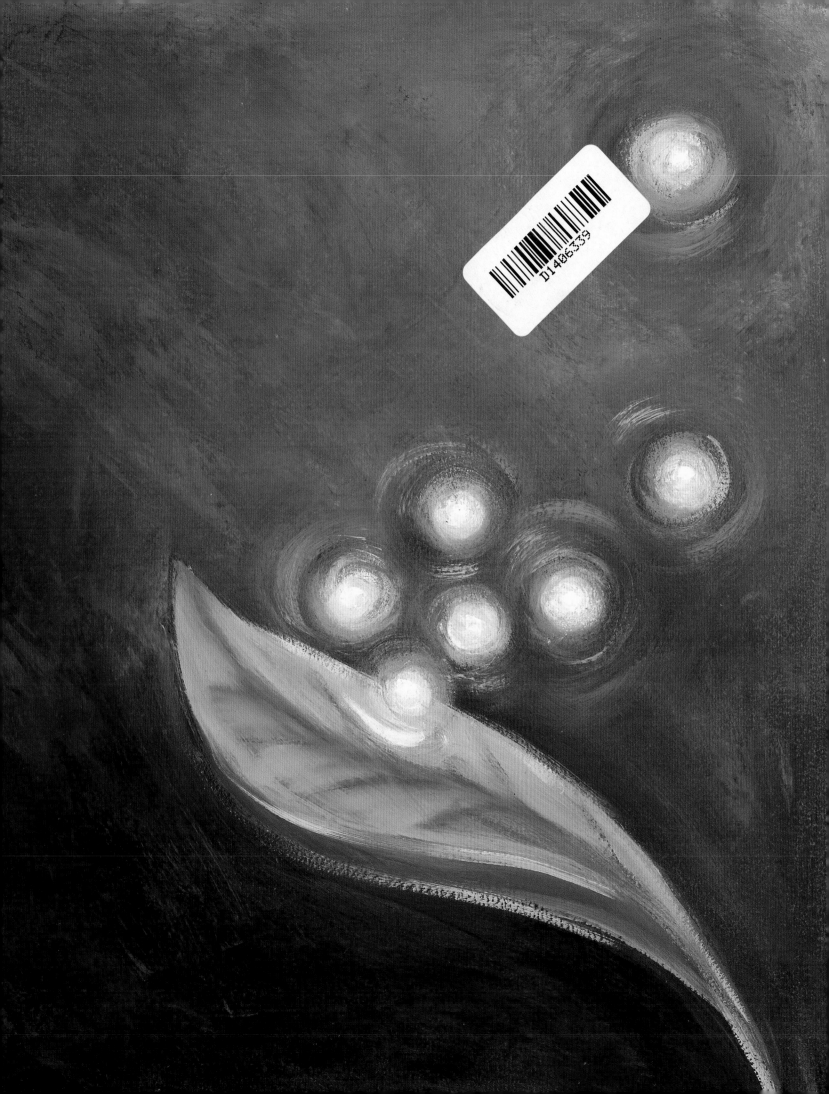

Pour la fée qui sommeille…
E.O.

À tous les enfants qui aiment rêver les yeux grand ouverts.
P.G.

© Kaléidoscope 2009
Loi n° 49.956 du 16 juillet 1949 sur les publications
destinées à la jeunesse mars 2009
ISBN 978-2-877-67592-5
Dépôt légal : mars 2009
Imprimé en Italie

Diffusion l'école des loisirs
www.editions-kaleidoscope.com

Pierre Grosz

Je suis fée
(mais pas tout le temps)

Illustrations d'Elsa Oriol

kaléidoscope

*A*u début, je ne le savais même pas.
Et c'est par hasard que je m'en suis aperçue.
De temps en temps, je suis fée.
Et j'ai été bien étonnée quand cela m'est arrivé
pour la première fois.

Il y avait ce chien des voisins, une bête énorme qui faisait très peur.
Un jour, il a réussi à s'échapper et, à mon retour de l'école,
je me suis trouvée face à lui…
Il s'est mis à gronder en me regardant, et moi – je ne saurai jamais
pourquoi –, j'ai croisé l'index et le majeur puis les ai pointés vers lui,
et le chien s'est retrouvé sur le dos, comme une saucisse à quatre pattes,
incapable de se relever.
Depuis, quand je fais ce geste, il arrive parfois des choses extraordinaires…

Enfin, parfois seulement…
Car je suis fée,
mais pas tout le temps…

Ainsi, par exemple, une fois, j'ai voulu étonner mon ami Quentin,
je lui ai affirmé que quelque chose bougeait dans son cartable.
Et pendant qu'il l'ouvrait, j'ai croisé les doigts et...
... un écureuil est sorti du cartable, un écureuil très drôle
qui a fait une cabriole et s'est enfui par la fenêtre ouverte en poussant
des petits cris.

Un autre jour, comme j'avais accroché mon pull à un clou qui dépassait
d'une table, hop, un et puis deux doigts croisés et… plus de déchirure !
Le pull était redevenu comme neuf !
Ou bien, apercevant sur une feuille de rosier une coccinelle
qui s'y reposait : "Tu es rouge avec des points noirs,
pour que les oiseaux n'aient pas envie de te manger, c'est bien ça ?"
lui ai-je dit… "Eh bien, moi, je te verrais volontiers mauve
avec des pois roses, ça change et c'est joli !"
Et la coccinelle est repartie avec les nouvelles couleurs
que mon geste lui avait données.

De même, quelquefois, s'il m'arrive d'avoir vraiment très soif,
je m'amuse à croiser les doigts au-dessus d'un verre vide, et le verre
se remplit tout seul de grenadine (je peux même si je veux faire venir
une grenadine bleue : Mmmm, c'est encore plus délicieux !),
avec une paille qui arrive on ne sait pas d'où.

Et le jour où cette histoire se passe, comme justement, il faisait très chaud,
on était en plein été, j'avais très soif et je rêvais de grenadine bleue
et de jus d'orange verte.
C'était le jour de la Saint-Jean.

À la campagne, quand arrive la Saint-Jean, il y a une fête
au cours de laquelle on vient brûler, dans un grand feu allumé
pour tous, les herbes de cuisine qui vous restent de l'année écoulée
pour les remplacer par des fraîches.
Ce jour-là, en plus, on organise le soir, – en tout cas, c'est comme ça
dans le village où je vais en vacances –, un concours magnifique,
auquel toutes les filles sont invitées à se présenter :
le concours de la plus belle robe.
Chacune s'active à la recherche de tel tissu, tels rubans,
telle parure, et je demande à ma mère de m'aider, justement,
à faire la robe avec laquelle je vais participer au concours.
Je voudrais bien savoir si ma nouvelle amie de cet été
qui habite presque en face de chez nous, et qui s'appelle Léa,
trouvera bonnes mes idées pour la robe que je mettrai ce soir…
Et puis, je suis curieuse de voir comment sera sa robe à elle…

Mais je trouve
Léa toute triste et abattue :
sa mère ne pourra pas l'aider,
puisqu'elle n'est pas là
avec elle.

Et alors, elle m'explique
que ses parents
ne vivent pas ensemble,
et qu'elle est ici tout ce mois
juste avec son père…

À ce moment-là, un petit nuage passe dans ma tête :
oh, je voudrais que mon amie ait, elle aussi, une belle robe ce soir !
Alors, je mets mon index sur mon majeur, je le pointe discrètement
dans sa direction. Mais rien ne se passe…
Et elle me quitte dans sa simple robe habituelle en me disant :
"À ce soir ! Et fais-toi belle ! Je voterai pour toi !"
Je veux très fort qu'elle ne soit plus triste, je veux très fort qu'une robe
merveilleuse apparaisse sur elle, aussi, pendant qu'elle s'éloigne,
je refais mon geste de fée. Mais j'ai beau croiser et re-croiser mes doigts,
une fois encore, rien n'arrive : je suis fée… mais pas tout le temps !
Et cet après-midi, pour moi, c'est bien désespérant !

Quand la nuit commence à tomber,
un dernier soleil orange disparaissant
à l'horizon, je suis heureuse de ma robe,
et aussi, je suis soucieuse pour mon amie.
Alors, je passe derrière la maison, dans le grand jardin,
pour réfléchir tranquillement à la situation.
Et tout à coup, là, dans un coin envahi
par la mauvaise herbe…
une petite lueur phosphorescente…

Je m'approche : posée sur un escargot endormi,
une petite chose qui fait une lueur blanche
un peu bleutée...
"Ah, mais oui, je sais, c'est un ver luisant !"
Et une idée s'allume dans ma tête.
Autour de mon visage, à ce même instant,
je vois voleter quelques lucioles
qui font elles aussi comme des petites lumières...

À présent, la nuit est là, l'heure approche
et je me rends jusqu'à la grande place
où se tient la fête.
Léa est déjà arrivée, accompagnée de son père.
Elle se tient à l'écart dans une robe
toute simple en coton rose uni.
Je la rejoins et nous nous embrassons.
Elle me fait un pauvre sourire.
Le membres du jury vont se réunir
pour délibérer dès que toutes les concurrentes
seront passées devant eux
pour présenter leurs robes.

Chacune en a imaginé une en s'y donnant complètement, et certaines sont extraordinaires : Karine, la fille du bazar, porte une robe en mousseline bordée de chantilly avec des rubans d'organza ; sa cousine Julie est vêtue d'un ensemble en chintz violine, avec des zébrures bleues et rouges ; Sarah, qui habite au bout de notre rue, s'est fait faire par sa grande sœur un fourreau en gaze et raphia glacier orné de longs rubans ventre de biche ; Émilie, dont les parents sont comme nous ici en vacances, s'est parée d'une robe en satin pistache et mousseline citron.

Et toutes les autres qui défilent devant le jury ont fait elles aussi des prodiges d'imagination et d'exécution.

Moi, j'en ai une tout en soie abricot, avec des manches un peu bouffantes vert pâle comme des ailes ou des feuilles. Avec, en bandoulière, un sac besace de soie qui fait très chic…

Léa s'est avancée jusqu'au bord de l'estrade
pour ne rien manquer de mon passage devant le jury.
Alors, je glisse une main dans mon sac besace et je fais
un grand geste vers elle. De ma main s'envole un grand
nuage de vers luisants et de toutes les lucioles que
j'ai récoltés avant de partir de chez moi. Ils s'accrochent
à la robe de mon amie Léa, qui se trouve tout à coup
revêtue d'un robe tout en lumières qui bougent,
une merveille,
une vraie robe
de rêve.

Alors, les acclamations de la foule éclatent,
Léa est obligée de monter sur l'estrade
à son tour et le jury nous désigne
toutes les deux *exaequo* pour le prix !
Puis l'orchestre se met à jouer et nous dansons
comme jamais nous n'avons dansé.

La fête terminée,
je suis rentrée me coucher.
À peine au lit, je m'endors
avec un très léger sourire aux lèvres.
Et Léa aussi s'endort chez elle,
après avoir déposé sa robe sur une chaise.
Dans la nuit, lucioles
et vers luisants, ses nouveaux amis,
ont disparu sur la pointe des pieds pour s'évanouir dans l'air.

Mais depuis, chacune de nous deux a gardé,
quelque part dans les yeux,
ces petites lumières que vous y voyez
quand vous nous regardez.